Responsable éditoriale : Claire Simon
Assistante éditoriale : Sophie Brault
Responsable studio graphique : Alice Nominé
Mise en pages : Mylène Gache
Responsable fabrication : Jean-Christophe Collett
Fabrication : Virginie Champeaud
Correction : Lise Cornacchia

ISBN : 978-2-7338-5301-6
Dépôt légal : août 2017.

www.auzou.com

Scratch l'éléphant
est trop collant !

Texte de Coralie Saudo
Illustrations de Mélanie Grandgirard

AUZOU

Voici Scratch... et son papa.
Scratch est du genre « petit éléphant collant ».
Il est sans arrêt accroché à son papa.
Si ce n'est pas par la trompe, c'est par la queue...
Si ce n'est pas par-devant, c'est par-derrière...
Si ce n'est pas par-dessous, c'est par-dessus...
Où que Papa aille, quoi que Papa fasse, Scratch est là,
dans ses pattes.

Bien sûr, quand il était tout
petit, c'était plutôt mignon.
« Comme c'est chou ! »
s'attendrissait tata Elé.
« C'est trop marrant ! »
pouffait tonton Fan.

Mais maintenant, Scratch prend de la place… beaucoup de place…
Pour son papa, cuisiner devient bien compliqué.
Faire son yoga, s'avère de plus en plus délicat…
Et nager avec ses amis crocodiles est devenu trop difficile !
Papa en a assez. C'est à peine s'il peut encore respirer…
Il a besoin d'air !

Et cela tombe à pic, car aujourd'hui, c'est la rentrée des classes. Mais comment amener son petit pot de colle à un si grand changement ?

« Scratch, mon chéri, dit Papa, tu n'as pas envie d'explorer
un peu autour de toi ? »
Scratch le regarde, inquiet, et s'agrippe un peu plus fort à lui...
« Ce serait chouette, tu sais, d'aller jouer ailleurs que
dans mes pattes... » poursuit Papa.
Scratch est au bord des larmes. Il serre son papa
de toutes ses forces.

Papa réfléchit...
Son petit éléphanteau n'a pas du tout
envie de le lâcher. Il va falloir ruser !
« Scratch, que dirais-tu d'une partie
de saute-hippo ? Vas-y, commence !
— Non, non...

— Alors j'y vais ! » claironne Papa.

» Papa prend de l'élan – comme il peut – et saute – comme il peut aussi – d'hippopotame en hippopotame. À s'agiter de la sorte, il espère que son petit lâche prise... Mais non, Scratch s'écrie :

« Youpi ! Encore !

— Non, non... c'est fini... » halète Papa, épuisé.

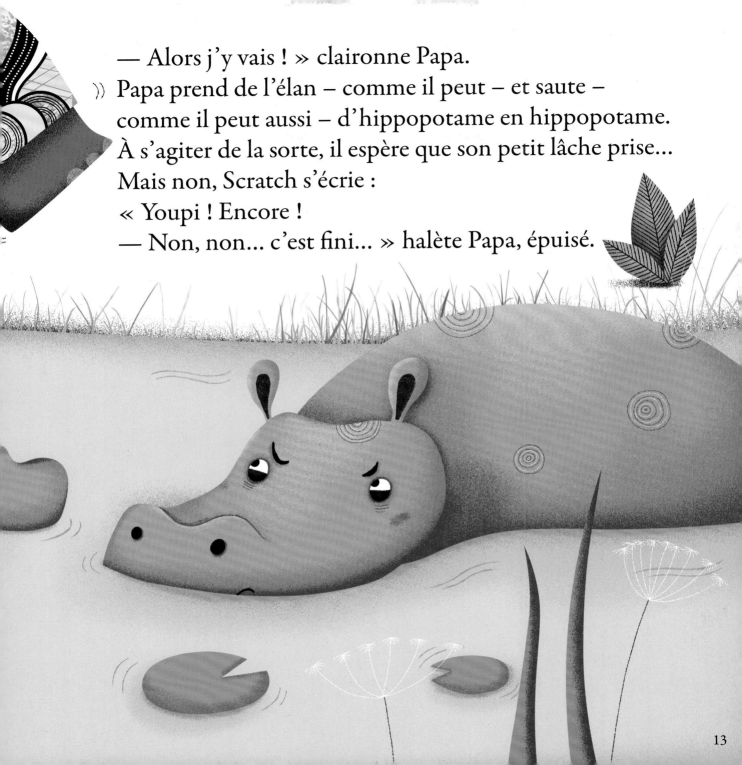

13

Papa s'allonge un peu.
Mais Scratch n'est pas fatigué.

Il gigote, il tapote, il gratouille, il chatouille.
« Même faire la sieste, c'est compliqué ! »
constate Papa.

« Scratch, si tu as tellement envie de bouger,
reprend Papa, jouons à éléphant perché !
Regarde ce rocher, il n'attend que toi.
— Ah ah, trop tard, je suis déjà perché ! s'écrie
Scratch qui s'est hissé sur sa tête.
— Évidemment... » observe Papa.

17

« Alors jouons à cache-cache ! s'entête Papa. Va te cacher, je compte jusqu'à vingt : un, deux, trois...
— Hi hi, je suis caché ! s'écrie l'éléphanteau qui s'est camouflé... juste derrière son dos.

— Scratch... soupire Papa. Il n'y a pas un jeu
auquel nous pourrions jouer pour de vrai ? »

Scratch réfléchit à son tour...
« Hum... je sais ! s'écrie-t-il joyeusement. On peut jouer au papa et au fiston. Toi tu es le papa, et moi je suis ton petit éléphanteau d'amour ! »

Papa soupire et lève les yeux au ciel...

Mais soudain, il sourit : il a une idée !
« D'accord ! s'exclame-t-il, JE suis le papa,
TU es mon éléphanteau chéri, et on prépare
TON petit baluchon... parce qu'aujourd'hui,
c'est la rentrée des classes !
— Oui ! Oui ! Oui ! s'enthousiasme Scratch.
— Alors... Qu'est-ce que tu emportes avec
toi ? demande Papa.
— Des branches pour mon goûter, de la boue
pour me protéger du soleil et... mon doudou !

— C'est très bien, mon petit éléphant d'amour, félicite Papa. Regarde, tu vois l'arbre là-bas ? C'est l'école. Alors vas-y, fonce, tout le monde t'attend !
— Euh... un câlin, Papa ! supplie Scratch.

— Voilà ! Vas-y maintenant, je viendrai te chercher tout à l'heure...

— Euh... Encore un câlin Papa, et un bisou aussi !

— Voilà, ça y est... Vas-y mon grand.

— Au revoir Papa... »
marmonne Scratch.
Pour la première fois,
Scratch lâche son papa.
Il fait un petit pas, deux
petits pas, trois petits pas...

Et soudain, il se met à courir !

« MAMAN ! MAMAN !
MAMAAAN ! Est-ce que tu
peux m'accompagner
à l'école ? »

Mes p'tits albums

la différence

la confiance

devenir autonome

l'amitié

la solidarité

devenir grand

exprimer son émotion

devenir autonome

l'acceptation de soi

l'arrivée d'un petit frère ou d'une petite sœur

l'acceptation de soi

hygiène / santé

la peur de l'inconnu

la différence

l'obéissance

l'amitié

l'humilité

la solidarité

la peur du noir

l'entraide / l'amour

la générosité

l'entraide

la confiance en soi

la tolérance / la famille

la confiance en soi

l'autonomie / la timidité

la rivalité entre frères et sœurs

le mensonge

l'écologie / le respect

le déménagement

l'amitié / l'entraide

la distraction

la curiosité

les bêtises

la maladie / l'amitié

la différence

la jalousie / le talent

la différence / le voyage / la famille

naissance / anniversaire

l'entraide / l'amour

courage / l'entraide

l'ennui

la peur de l'inconnu / l'amitié

le sommeil

les caprices

le mensonge

Pâques

la colère

le handicap / la différence

Noël / l'entraide

la créativité

le mensonge

l'étourderie

l'entraide / les animaux de la banquise

perdre une dent / la petite souris

la gémellité / l'entraide

l'amitié

l'aventure / l'appren- tissage des chiffres